Chère Priscilla !

Joyeux anniversaire - Que cette nouvelle année t'apporte tout ce que ton cœur désire.

C'est un privilège de te connaître. Nous avons de la chance !

Grosses bises

Jon et Malika

des peuples et du café

Aux millions d'hommes, de femmes et d'enfants
qui, à la sueur de leur front, souvent
dans l'indifférence mais aussi dans l'espoir,
tirent leur subsistance du café.

Photographies et textes

Éric St-Pierre

des peuples et du café

Impressions Québec & Nazca Édition

Couverture
Pham Thi Huong termine une journée de cueillette dans sa jeune plantation de café au nord de la province de Nghe An au Vietnam.

Doubles pages précédentes

Page 2-3 : Caféier en fleur dans une plantation près d'Union Juarez, dans l'État du Chiapas au Mexique.

Page 4-5 : La vallée de Mruwia et ses canaux d'irrigation, sur les flancs du mont Kilimanjaro au nord de la Tanzanie.

Page 6-7 : Joseph Faustin Gosalvis, travailleur dans une plantation de café au nord de l'État du Minas Gerais, au Brésil.

Page 8-9 : La cueillette de baies de café biologique et équitable au village d'El Dos de Tilarán, au Costa Rica.

Ceria et Pablito Teodoro Ortis, dans le village de San Pedro de l'État d'Oaxaca, au Mexique.

Sommaire

Préface

Dans l'actualité mondiale, la logique du pouvoir a en apparence gagné du terrain face à l'imagination. La pensée unique, si suffisante dans ses prétentions, ne laisse qu'un espace restreint à l'imagination. Elle élimine ou dévalorise la pensée mythique, celle de la tendresse, de l'affection.

Bien entendu, en additionnant une fleur à deux fleurs on en obtient trois, mais cet ensemble de fleurs peut aussi correspondre à une marque d'affection, de piété. Les images suscitent une multitude d'interprétations et disent plus que la photographie prise voilà peu ou jadis.

Interpréter la vie des petits producteurs autochtones qui, au prix d'un dur labeur, cultivent café, maïs, pois et légumes pour leur survie, c'est courir un grand risque. Il serait effectivement aisé de succomber au piège d'un romantisme conservateur ou à celui d'une simple dénonciation de l'exploitation, laissant ainsi la situation inchangée. Sans proposition, la contestation n'a pas de raison d'être, et l'admiration de la vie simple des paysans autochtones se résume quant à elle à la falsification d'une vie à la fois dure et humaine.

Interpréter les images de la vie quotidienne des paysans caféiculteurs par l'intermédiaire de la photographie s'avère une double tâche : celle de laisser libre cours aux visions de beauté, de tendresse et d'acharnement associées à l'amélioration des conditions de vie, tout en évoquant clairement la lutte organisée en tant que proposition pour l'avènement d'un monde moins injuste.

De bonnes photographies se doivent d'évacuer la dimension touristique de la vie en montagne. Elles se doivent également d'éviter la logique d'une vérité strictement visuelle. Les photographies sont toujours mensongères et trompeuses pour un simple observateur…

Paysans, familles et communautés organisées qui cherchent ensemble une voie vers une survie digne font la différence lorsque le photographe sait cerner la profondeur d'âme de l'environnement et la vie des gens, surmontant du coup l'illusion du premier regard.

Globaliser la vie à partir du bas ou à partir du niveau local introduit une dynamique à la fois culturelle, environnementale, économique, sociale et politique. Cette logique implique une rupture avec l'exclusivité de la pensée unique, ouvre des voies nouvelles à travers lesquelles s'imaginent des possibilités tout aussi nouvelles. C'est en luttant de la sorte, en aimant la vie contenue

Dr Francisco VanderHoff Boersma, missionnaire et conseiller de la coopérative UCIRI, en compagnie deJavier Eleuterio Cabadilla, à Ixtepec, au Mexique.

dans le moment présent, dans un matin nouveau, dans un futur meilleur pour les petits-enfants et arrière-petits-enfants, que s'améliore la qualité de vie actuelle, celle de l'environnement et des fruits de nos terres d'aujourd'hui.

Globaliser et commercialiser un tel produit marque non seulement une différence, mais engendre tendresse et affection tout en rompant avec les fondements de la logique du commerce anonyme, de l'économie du plus fort et de l'information contrôlée.

Éric St-Pierre a accompli un valeureux travail en mettant en relief les alternatives sans que soit violée la réalité de la vie quotidienne des gens et de leur univers. Ses photographies permettent d'observer et de savourer la réalité de ce qui ne peut être vu au premier abord. Appréciez cette imagination.

Dr Francisco VanderHoff Boersma
Conseiller de l'*Union de Comunidades Indígenas de la Región del Istmo*

Introduction

Juillet 1996. Après treize heures de marche sous la pluie, j'arrive, épuisé, au petit village de San Pedro. Niché dans la sierra Juarez, au sud du Mexique, San Pedro ne possède ni eau courante, ni électricité, ni route carrossable. J'y demeure chez Pablo, Carmen et leurs huit enfants. Leur maison est en adobe – brique non cuite, séchée au soleil – et couverte d'un toit en taule. Juste à côté, celle des parents de Carmen n'a que des murs en pisé et un toit de chaume. La famille ne parle guère l'espagnol et s'exprime principalement dans la langue autochtone. Ils sont membres de la *Unión de Comunidades Indígenas de la Región del Istmo (UCIRI),* une coopérative de café. Depuis deux mois, je visite des producteurs de café de la région pour mieux comprendre leur vie et leur travail. Le soir qui précède mon départ de San Pedro, Carmen est assise près du four à bois. Maximiliano, le dernier-né, est assis sur ses genoux. À deux pas, Pablito ajoute une éclisse de pin sur le petit feu qui éclaire la pièce. Le temps de quelques images, je termine mes *tortillas con frijoles,* les traditionnelles galettes de maïs avec des fèves noires. Ce séjour tire à sa fin, je rentre à la maison la tête remplie de moments magiques et d'images captées sur le vif.

Le café et le commerce équitable

Cette aventure avait commencé un an auparavant avec Laure, une amie étudiante en sociologie : « Tu sais, lui dis-je, ce serait très intéressant de réaliser un reportage sur un produit cultivé dans le Sud et destiné aux consommateurs du Nord... Peut-être la banane ? » « Pourquoi pas le café ? » suggéra-t-elle. A cette époque, le café représente le deuxième marché de matières premières après le pétrole. D'après les évaluations, l'agriculture du café emploie vingt millions de travailleurs répartis dans soixante pays, tous situés sous les tropiques. Ces paysans, à la base d'une industrie de plusieurs milliards de dollars, font pourtant partie des peuples les plus pauvres de la terre...

Le café, originaire d'Éthiopie, fut d'abord cultivé par les Arabes qui, au début du premier millénaire, faisaient fermenter les euphorisantes baies rouges pour produire un breuvage appelé *quahwa,* littéralement : « qui excite et remonte le moral ». Quelques siècles plus tard, les grands empires coloniaux feront circuler le café dans l'ensemble de leurs domaines en même temps qu'ils pratiqueront la traite des esclaves. Un café noir et amer, autant de saveur que d'histoire.

Carmen et Maximiliano, sous la chaude lumière d'un feu de bois dans le village de San Pedro.

Le périple de l'or vert sera souvent ponctué de souffrances pour des millions de familles. Néanmoins, pour celles d'entre elles qui se sont jointes aujourd'hui au réseau du commerce équitable, le café est aussi porteur d'espoir. Les bases de cette alternative solidaire reposent sur quelques critères simples, dont une relation directe avec des organisations démocratiques de petits producteurs et de meilleures conditions d'échange. Pour le café, cela se traduit par un prix minimum garanti de 2,77 Dollars US le kilogramme, auquel s'ajoutent des primes dans le cas d'un café biologique. Au moment de mettre sous presse, la valeur du café à la Bourse de New York est à 50 % du prix équitable.

1996-1998 : le Mexique

En 1996, Laure et moi avons partagé les semaines initiales d'un premier séjour au Mexique où nous étions reçus par l'UCIRI, pionnière en matière de commerce équitable. Fondée au début des années 1980, l'UCIRI compte aujourd'hui plus de 2 000 familles membres dans 53 communautés autochtones du sud du Mexique. La coopérative, qui exporte de manière autonome son café certifié biologique, possède sa propre école d'agriculture, un centre de santé, des autobus et un réseau de petits magasins communautaires.

Dans les villages de l'UCIRI, j'ai le privilège de partager le quotidien des familles paysannes. Au fil des jours, j'apprivoise ce nouvel univers en même temps que mes hôtes se familiarisent à ma personne et à ma caméra. En 1998, un second séjour de trois mois me permet pour la première fois d'assister à la cueillette du café.

1999 : la Tanzanie

En 1999, je me rends en Tanzanie avec Sophie, mon épouse, pour un séjour de deux mois. Les flancs du mont Kilimanjaro, dans le nord du pays, sont le berceau de la première coopérative africaine. Plus de soixante-quinze ans de travail collectif ont été source de bienfaits pour les 136 000 familles qui cultivent le café. Dans cette région, peu d'entre elles ont accès à l'électricité, mais la quasi-totalité de la population sait lire et écrire. Affables, les paysans du Kilimanjaro nous font connaître les multiples facettes de la vie dans ce pays, le dernier où les empires coloniaux introduisirent le café, à la fin du XIXe siècle.

2000 : le Brésil

En 2000, je pars explorer le Brésil, premier producteur mondial de café. Cette année-là, la récolte atteint les 32 millions de sacs de café (un sac = 60 kilos), soit près de 30 % de la production de la planète. Ce pays où tout est superlatif connaît l'une des plus importantes concentrations de propriétés agricoles de la planète. Seulement 1 % de la population détient plus de la moitié du stock national de richesses : fermier, industriel, banquier peuvent être les différents aspects d'un même personnage.

2001 : le Vietnam

En 2001, l'industrie du café connaît une crise sans précédent. Les prix en Bourse, qui ont atteint des sommets au milieu des années 1990, chutent vers les plus bas niveaux des trente dernières années. Pour expliquer cette crise, des analystes accusent l'augmentation fulgurante de la production de café Robusta au Vietnam. Quarante-deuxième producteur mondial au début des années 1980, le Vietnam occupe aujourd'hui le deuxième rang.

Alors que je prépare un séjour, le pays est frappé par d'importantes manifestations dans les hauts plateaux, le cœur de la production du café vietnamien. Ces manifestations ne sont pas de bon augure pour la réalisation d'un reportage, aussi le séjour projeté de deux mois se réduira-t-il à quelques semaines. De plus, je ne peux visiter les hauts plateaux, partiellement fermés aux visiteurs étrangers. Quelques jours avant mon arrivée au pays, quatre leaders des hauts plateaux ont été condamnés à des sentences de six à douze ans de prison pour avoir « saboté l'unité nationale ».

2002 : le Costa Rica

En 2002, je visite au Costa Rica les membres du *Consorcio de Cooperativas de caficultores de Guanagaste y Montes de Oro* (Coocafé), un modèle dans le réseau des coopératives de café équitable. Coocafé possède des usines de hauts standards environnementaux, concrétise des projets de partage de terres agricoles, offre des bourses aux étudiants des cycles universitaire et secondaire. Certains de ces membres cultivent de manière biologique et la coopérative vend son propre café torréfié aux niveaux national et international.

Des peuples et du café

Juste avant d'entreprendre la réalisation du présent ouvrage, je me rends pour la troisième fois au Mexique, et je retourne au petit village de San Pedro. La randonnée pédestre est, cette fois-ci, beaucoup plus courte, la route n'étant plus qu'à quelques kilomètres de l'entrée du village. Il y a maintenant l'eau courante, des latrines, mais toujours pas d'électricité. Pablo et Carmen, qui ont à présent dix enfants, ont ajouté une grande pièce à leur maison et une nouvelle cuisine a été construite. Pablo me parle avec fierté de la réussite de son fils, Juan, formé à l'école de l'UCIRI. Il est aujourd'hui technicien en agriculture. Ensemble, ils ont semé deux hectares de nouveaux caféiers. Pablo va dans sa maison d'où il ramène un petit livre en plastique avec quelques photos. La première est celle de Maria del Carmen, leur dernière-née. « C'est Juan qui l'a prise, avec sa petite caméra », précise-t-il. Parvenu à la dernière image, Pablo me regarde en souriant. C'est la photo de famille que je leur avais envoyée à la suite de ma première visite, près de six ans auparavant.

Six ans ponctués de sept séjours à l'étranger, onze mois sur le terrain, 14 000 photographies et des rencontres inoubliables. Alors que je mijotais l'idée de ce livre, on me demandait : « Est-ce un livre sur le café, sur le commerce équitable ? » Bien que traitant de certains enjeux de l'industrie du café avec un regard particulier sur le commerce équitable, ce livre vise d'abord et avant tout à donner toute leur place aux familles paysannes. Je ne souhaite pas réécrire l'histoire du café ni même celle du commerce équitable. Plusieurs ouvrages en ont traité avant moi, et certains de manière tout à fait remarquable. Je veux simplement vous présenter Pablo et Carmen, Félix et Adela, Gilbert et Irène, Valdir et Ângela, Huong et Lê, Roger et Gladys. À travers ces êtres, ce sont quelques-unes des réalités du quotidien des peuples du café que l'on découvrira. ■

La famille Teodoro Ortis de San Pedro : Carmen, Pablo et leurs huit enfants, en juillet 1996.

La maison des parents de Carmen, avec son toit de chaume et ses murs en pisé.

Grâce à l'eau de pluie récupérée

au cours de la nuit,

Ceria s'offre un bain matinal.

Le soir, son frère Pablito ajoute

une éclisse de pin sur le petit feu

qui éclaire la cuisine.

À San Pedro, la famille Teodoro Ortis, comme l'ensemble des familles du village, vit sans eau courante, ni électricité, ni route carrossable.

Mexique

JUIN 1996. Sous un soleil de plomb, nous sommes au moins quinze à nous entasser avec des poules et autres marchandises dans le camion qui nous conduit d'Ixtepec à Lachiviza. Les femmes qui m'entourent portent un vêtement noir brodé de fleurs ou de formes géométriques hautement colorées. En équilibre sur un bidon de gaz, je m'accroche aux barreaux de bois pour ne pas écraser le sac de mangues à ma gauche. Le nez dans le vent, je savoure chaque paysage de notre ascension. Sur les flancs des montagnes, on aperçoit les serpentins de la route sur plusieurs kilomètres. Après une heure et demie, nous arrivons à Lachiviza, le cœur de la coopérative UCIRI.

FIDÈLE À SES ORIGINES AUTOCHTONES, CATALINA JIMÉNEZ PORTE LE HUIPIL, CE VÊTEMENT TRADITIONNEL BRODÉ ET COLORÉ. AU TOTAL, 2 000 FAMILLES AUTOCHTONES FORMENT L'UCIRI *(UNIÓN DE COMUNIDADES INDÍGENAS DE LA REGIÓN DEL ISTMO).*

Sur les grands murs blancs de l'entrepôt de café s'inscrit la maxime de l'Union : « *Unidos Venceremos* » (Unis nous vaincrons). Au début des années 1980, des missionnaires catholiques ont contribué à l'organisation des caféiculteurs autochtones de la région. La moitié de la population de l'État d'Oaxaca est composée de 16 ethnies qui parlent 90 dialectes. Comme il est dit dans un bulletin de l'UCIRI, ces familles « venaient de racines, traditions et croyances distinctes, partageant une lutte commune pour une existence empreinte de joie et dignité. »

« Les premières années ont été difficiles, car nous n'avions pas de moyens », se souvient Flaviano, qui faisait partie du premier conseil d'administration de l'UCIRI. Catalina, sa femme, se joint à la conversation : « Il n'y avait même pas de cuisine ! Je devais lui apporter des *totopos* (galettes de maïs séchées). » « Le gouvernement voulait qu'on appartienne à une de ses structures, mais nous, nous voulions être autonomes », poursuit Flaviano. Reconnue légalement en 1983, l'UCIRI obtiendra son permis d'exportation en 1985. Avec l'appui de Frans, un missionnaire hollandais, docteur en économie, l'UCIRI exporte son café sans intermédiaire, et ce en partie dans le réseau du commerce équitable. Au cours des années, les membres achetèrent camions et autobus, ils construisirent des bureaux et l'entrepôt de café qui se dresse devant nous. C'est aussi à Lachiviza que se trouvent le centre de santé de la coopérative et le réseau de distribution qui approvisionne les petits magasins communautaires administrés par les membres dans plusieurs villages.

Mais derrière ces succès se cachent aussi d'énormes souffrances. L'élite locale et le gouvernement ne voient pas toujours d'un bon œil le pouvoir que l'UCIRI obtient dans la région. En organisant les communautés et en exportant le café de manière autonome, l'UCIRI entre en compétition avec les commerçants locaux surnommés « coyotes ». Parcourant les routes, les membres de la coopérative sont aussi témoins des exportations de drogue, ce qui ne va pas sans leur attirer des problèmes. Ils doivent faire face à plusieurs gestes de sabotage et d'intimidation, des plus subtils aux plus violents. Au cours des vingt dernières années, 39 personnes associées à l'UCIRI ont été assassinées. En 1994, alors que le mouvement zapatiste fait une entrée marquée au Chiapas, l'école d'agriculture d'UCIRI est envahie par l'armée qui accuse indûment la coopérative d'y entretenir un centre de formation paramilitaire.

L'assemblée de Guadalupe

Au village de Guadalupe, c'est un jour d'assemblée. Jeunes et moins jeunes arrivent au petit entrepôt, se saluant respectueusement. L'un des doyens du groupe, Clemente, m'entretient sur la fondation de Guadalupe il y a cinquante ans. « Nous étions 300 familles qui venions de Lachiguiri », un village voisin où les terres arables étaient devenues très rares. « La première année, la moitié des gens sont repartis parce

Double page précédente

Pascasio Martinez Cabrera marche dans la brume matinale sur un sentier menant au village de San Pedro.

AU VILLAGE DE GUADALUPE, TOUT COMME DANS LES 53 COMMUNAUTÉS AUTOCHTONES REPRÉSENTÉES DANS L'UCIRI, LES MEMBRES DE LA COOPÉRATIVE SE RÉUNISSENT TOUS LES MOIS POUR DISCUTER CAFÉ ET PROJETS DE DÉVELOPPEMENT.

que c'était trop difficile » dit-il en se remémorant les conditions de cette époque. « Avec nos mules chargées, nous marchions deux jours pour aller vendre notre café à Ixtepec. La route carrossable n'est pas arrivée avant les années 1970, quand une compagnie est venue couper le bois de la région. Quelques années plus tard, nous avons eu l'électricité. »

À l'intérieur de l'entrepôt, on aligne quelques briques par terre pour y déposer les planches qui serviront de bancs. Les membres du conseil d'administration président l'assemblée. La structure démocratique de la coopérative suit les us et coutumes des communautés autochtones. Les dirigeants sont élus par consensus lors d'assemblées formées d'un représentant par famille, traditionnellement le mari. Il s'agit d'un système sans parti politique, qui privilégie l'unité et l'égale responsabilité de chacun des membres.

Toute la journée, on discute café et projets de développement. Chaque comité présente son bilan mensuel. De temps à autre, des paysans entrent pour acheter de l'huile, une paire de sandales ou encore une pelle dans le petit magasin communautaire adjacent à la salle de réunion. La coopérative possède également un moulin pour le maïs et un camion qui fait plusieurs fois par semaine l'aller et retour Guadalupe-Ixtepec.

« Pour nos projets, nous utilisons le fonds social que nous percevons sur les revenus du café exporté », m'explique Cliserio, le président du conseil. « Le travail est fait grâce aux *techios* », un service non rémunéré et consacré au bien commun. « Au départ, nous étions plus de cent membres, mais plusieurs ont quitté. Selon eux, il y avait trop de travail. Ils voulaient vendre leur café, c'est tout. La coopérative est ouverte à tous, mais chacun doit contribuer. » Avec l'ensemble des projets mis sur pied à Guadalupe, chaque membre consacre en moyenne quatre jours de travail bénévole par mois.

AVEC SES 58 ANS DE SAGESSE, LE VISAGE D'ADELA GUZMÁN LOPÉZ TRADUIT LES ANNÉES DE DUR LABEUR. LES LONGUES JOURNÉES DE TRAVAIL DE CETTE JEUNE ARRIÈRE-GRAND-MÈRE SONT PONCTUÉES PAR L'INCONTOURNABLE PRÉPARATION DES TORTILLAS, LA TRAITE DES VACHES, LE TRANSPORT DU BOIS ET BIEN D'AUTRES TÂCHES MÉNAGÈRES.

DANS LA RÉGION
DE GUADALUPE,
LA RÉCOLTE DU CAFÉ
S'ÉTALE ENTRE LES MOIS
DE DÉCEMBRE ET FÉVRIER.
DURANT CETTE PÉRIODE,
FÉLIX TERÁN MENDOZA
VISITE LES MÊMES CAFÉIERS
À TROIS REPRISES
POUR NE CUEILLIR
QUE LES BAIES MÛRES.

Nous marchons d'un pas accéléré pendant une heure. Lorsque nous arrivons aux caféiers, chacun accroche son balluchon et retrouve son panier. Félix grimpe dans de vieux arbres hauts de deux mètres, voire de trois. En général, les caféiers sont taillés annuellement, ou coupés après quinze ou vingt ans quand leurs rendements peuvent baisser considérablement. Félix récolte un à un les petits fruits rouges de la grosseur d'une olive, passant dans chaque branche et laissant tomber dans son panier des poignées de baies mûres. Les fruits verts attendront le prochain passage, dans deux ou trois semaines. Dans cette région du Mexique, trois cueillettes s'étalent entre décembre et février.

Vers 15 heures, tous ramènent leurs paniers et les vident dans leurs sacs respectifs. Félix sort une *lata,* un contenant de métal servant à mesurer le volume de café récolté. « Ça fait 50 cents par *lata* », m'explique-t-il. « Les femmes et les jeunes arrivent à en cueillir quatre par jour. » Un peu plus de 3 dollars US, que Félix paiera aux cueilleurs journaliers. Moi, je regarde la demi-*lata* que j'ai accumulée au fond de mon panier, et je réalise que je n'aurai même pas un maigre 50 cents pour ma journée de travail !

Sur le chemin du retour, Genaro mène les chevaux chargés de café. À la maison, Félix dépose les fruits secs, verts et autres baies de mauvaise qualité dans un coin de la cuisine : « C'est pour le café de la maison. » Ces fruits sécheront entiers, alors que ceux qui sont mûrs sont passés au petit moulin pour séparer les grains de la pulpe. Tour à tour, Félix, Adela, Genaro et même Rosanelia se relaient à la manivelle. Il est 9 heures quand tout est terminé. Adela finit quelques tâches à la cuisine, envoie des *tortillas* froides aux chiens et deux ou trois poignées de maïs à ses poules. Il est temps d'aller dormir, car demain le même labeur nous attend.

Le lendemain matin, Félix lave à l'eau claire le café passé au moulin la veille. Les grains, qui ont fermenté toute la nuit, perdent alors le mucilage, cette fine pellicule gélatineuse qui les recouvre. Ils sont ensuite exposés au soleil. Tous les jours, en fin d'après-midi, le café est ramassé pour éviter qu'il ne prenne l'humidité. Le processus se répète matin et soir pendant cinq jours, jusqu'à ce que le café soit suffisamment sec.

Un soir, Félix ramasse deux sacs de café qu'il veut vendre à un acheteur du village. « On a besoin d'argent pour continuer le reste de la récolte. » Car la gestion de l'argent est un problème important pour les petits producteurs de café. Ils doivent vivre toute l'année des revenus perçus lors de la cueillette. Si les récoltes caféières où vivrières sont insuffisantes et en cas de maladie d'un membre de la famille, ils doivent emprunter aux marchands du village à des taux usuriers. Un cercle vicieux d'endettement qui perpétue la pauvreté, la vulnérabilité et la dépendance des familles. Briser ce cycle de dépendance est l'un des objectifs centraux de la coopérative. Les prix offerts aux membres sont plus élevés et ils sont payés en trois versements. Ils ont accès à du crédit auprès de la coopérative, apprennent à gérer certains programmes gouvernementaux et sont mieux renseignés sur les cours du marché et la valeur de leur café. À son retour, Félix a le sourire : « C'était du café de la petite plantation du village infesté de maladies. Je ne voulais pas l'envoyer à la coopérative. J'ai quand même pu négocier un bon prix ! »

Mexique

La plantation de café étant
à quelques kilomètres du village,
Genaro, le petit-fils de Félix
et Adela, marche plus d'une heure
pour ramener les fruits
de la récolte journalière.

Dans l'État d'Oaxaca, les autochtones, comme Rosanelia et ses grands-parents qui sont d'origine Zapotec, représentent la moitié de la population. Regroupés en 16 ethnies, ces autochtones parlent 90 dialectes différents.

COMME JOSEFINA ARISTA DE SANTA MARIA, ONT LEURS PROPRES ASSEMBLÉES ET RÉALISENT DIFFÉRENTS PROJETS DE DÉVELOPPEMENT.

Mexique

Avec son grand entrepôt de café aux murs blanc, le siège social de l'UCIRI à Lachivixa est un symbole de développement économique et surtout d'autonomie pour les familles membres et les travailleurs de la coopérative.

Après chaque journée de cueillette, José Eli, Severiano et Rosalia, accompagnés de José Eli junior, passent les baies au petit moulin pour séparer les grains de la pulpe.

Pendant cinq jours, chaque matin, Suzana Terán Villanueva étale ses grains de café pour qu'ils sèchent au soleil, et les ramasse en fin d'après-midi avant qu'ils ne prennent l'humidité.

Vietnam

Février 2001. Alors que je prépare mon séjour au Vietnam, les hauts plateaux du centre sont frappés par les plus importantes manifestations qu'ait connues le pays au cours des vingt dernières années. Des milliers de représentants des minorités ethniques de cette région envahissent les routes pour réclamer la restitution de leurs terres ancestrales confisquées par l'État au profit de planteurs de café vietnamiens originaires des plaines. Un symptôme de la crise mondiale du café, et ce en plein cœur du pays qu'on accuse d'avoir été le principal instigateur de la récente chute des cours du marché.

Au rythme d'élégants coups de râteau, une travailleuse d'une usine gouvernementale déplace les grains de café pour qu'ils sèchent de manière uniforme.

Vietnam

Après la réunification du Vietnam en 1975, le gouvernement de Hanoi déclarait propriétés gouvernementales les terres ancestrales et encourageait les résidents des régions surpeuplées des plaines côtières à coloniser les hauts plateaux. Un mouvement qui s'est intensifié aux cours des dernières années avec le développement de l'industrie du café dans la région. Plus d'un million de colons de l'ethnie majoritaire Viet, qui représente 87 % des 78 millions d'habitants du pays, ont migré sur les hauts plateaux, modifiant considérablement l'équilibre ethnique de la région. Aujourd'hui, les minorités ethniques ne composent plus que 25 % de la population des hauts plateaux.

En 2001, le Vietnam a atteint les 15 millions de sacs de café alors que, dix ans plus tôt, il n'en produisait que 1,3 million. Au milieu des années 1990, le pays ne comptait que 155 000 hectares de caféiers. Aujourd'hui, les producteurs vietnamiens en cultivent 550 000, dont 85 % se trouvent sur les hauts plateaux. Cette fulgurante progression, orchestrée par le gouvernement de Hanoi, coïncide avec la normalisation du commerce avec les États-Unis et le renouvellement de l'aide internationale par les grandes institutions telle la Banque mondiale.

« Le Vietnam est devenu un important producteur. En général, nous considérons cela comme un grand succès », a affirmé Don Mitchel, un économiste de la Banque mondiale. Mais face aux critiques engendrées par la crise, la Banque mondiale se défend d'avoir financé directement l'industrie du café vietnamien. Elle admet par contre avoir plusieurs programmes de crédits en zone rurale, où vivent 80 % de la population du pays, mais « ne pas décider de la manière dont les fonds sont utilisés ». En juillet 2001, la Banque mondiale a annoncé des prêts totalisant plus d'un demi-milliard de dollars américains pour l'année en cours, sanctionnant les réformes économiques des autorités communistes. Quelques mois plus tard, c'est au tour du Fonds monétaire international de demander des engagements plus détaillés sur la restructuration de 1 800 entreprises gouvernementales ainsi que des réformes du système bancaire national avant d'émettre la deuxième tranche d'un prêt de 368 millions de dollars.

En ce qui concerne l'industrie du café, les succès économiques des premières années ont laissé place aux dures réalités du marché des matières premières. Au milieu des années 1990, les prix aux producteurs vietnamiens atteignaient 2,80 $ US le kilo, alors qu'en décembre 2000 ils passent sous la barre de 35 cents US le kilo, soit la moitié des coûts de production évalués pour le Vietnam. L'année suivante, la Banque centrale du Vietnam ordonne aux institutions financières du pays un moratoire de trois ans sur la perception des prêts aux producteurs de café, car plusieurs sont incapables de rembourser leurs dettes.

Double page précédente

LÂM RECUEILLE LE CAFÉ SUR SA PARCELLE DE UN HECTARE DANS UNE PLANTATION GOUVERNEMENTALE DE LA PROVINCE VIETNAMIENNE DE NGHE AN, À PLUS DE 300 KILOMÈTRES AU SUD DE HANOI.

Dans les usines
comme dans les plantations,
ce sont souvent des femmes,
telle Son, qui assurent
le travail manuel
pour un salaire journalier
de 1 dollar US.

Visite au Vietnam

Septembre 2001. À Hanoi, je fais la connaissance du guide qui m'accompagnera lors des visites de régions caféières. Il me salue dans un anglais approximatif et nous partons vers la campagne. Sur la route, les motocyclettes chargées de tout ce que l'on peut imaginer partagent maintenant la voie avec les bœufs, les ânes et quelques voitures. Arrivés à Vinh, capitale de la province de Nghe An, à 380 kilomètres au sud de Hanoi, nous rencontrons les autorités provinciales avant de nous diriger vers le nord de la province, où l'on cultive le café.

Accompagnés d'un représentant des autorités locales responsable du développement du café, nous visitons l'une des fermes gouvernementales. Ce sont de grandes monocultures de caféiers, où l'on pratique une agriculture intensive utilisant d'importantes quantités de fertilisants et pesticides chimiques. Ici et là, au beau milieu des jeunes plants, les paysans cueillent les fruits mûrs. « Il s'agit d'un partenariat », explique le responsable : le gouvernement fournit les terres, les capitaux et le soutien technique ; les paysans, qui ont droit à un hectare chacun, fournissent la main-d'œuvre.

Vietnam

En route vers le marché alors que
les rizières baignent dans la brume
matinale, les femmes sillonnent
les sentiers, équilibrant
sur une palanche des paniers
remplis de produits divers.

Après leur journée de cueillette, les paysans portent leurs fruits dans une usine gouvernementale. Vélo chargé, chacun présente son sac de fruits mûrs à la pesée de l'usine. Les fruits sont passés dans un moulin mécanique, les grains mis de côté pour fermenter pendant douze heures ; lavés à l'eau claire, ils sont ensuite exposés au soleil où ils sécheront pendant quatre ou cinq jours. Au rythme d'élégants coups de râteau, des femmes déplacent les grains pour qu'ils sèchent de manière uniforme. Mis à part le directeur et le préposé à la pesée du café, ce sont des femmes qui accomplissent le travail manuel. Il en va de même dans les plantations, où ce sont principalement elles qui effectuent cueillette et désherbage. Elles gagnent le salaire de base, soit 1 dollar US par jour de travail.

Le lendemain à l'aube, les rizières qui bordent la petite ville campagnarde où je loge baignent dans la brume matinale. Les femmes sillonnent les sentiers, portant sur leurs épaules une palanche aux extrémités de

PHAM THI HUONG TERMINE UNE JOURNÉE DE CUEILLETTE DANS SA JEUNE PLANTATION DE CAFÉ AU NORD DE LA PROVINCE DE NGHE AN.

Depuis le début de la chute des cours du marché, une pression est exercée sur le Vietnam pour que le pays diminue sa production. En vue de parer aux critiques, l'Association vietnamienne du café et du cacao (Vicofa) a annoncé une restructuration de son industrie, incluant la réduction de 20 à 30 % de la superficie actuelle de café Robusta.

Bien que, ce jour-là, j'aie assisté au déracinement de caféiers Robusta, au cours de cette visite au Vietnam j'ai surtout vu le développement de nouvelles plantations de caféiers Arabica. Pour le petit district que je visite, on prévoit 4 000 nouveaux hectares de cette variété d'ici quatre ans, soit plus du double de la superficie actuelle. Pour l'ensemble du pays, Vicofa souhaite augmenter la superficie de caféiers Arabica pour atteindre les 100 000 hectares.

HUONG

Le lendemain, nous arrivons sur une petite plantation où j'aperçois le visage délicat d'une femme appliquée à cueillir son café. Nous nous avançons pour les présentations d'usage et quelques explications sur mon travail. Huong porte une chemise kaki et le traditionnel chapeau conique attaché d'un simple ruban noir. Elle jette des poignées de fruits mûrs dans un panier posé à ses pieds, puis le déplace d'arbre en arbre. Jeune de tout juste deux ans, la plantation offre ses premiers fruits. Hai, 11 ans, rejoint sa mère avec un autre panier rempli de différentes herbes. Amusée par notre visite, la fillette emprunte mon petit carnet de notes où elle inscrit en anglais : « Je suis Hai. » Surpris, je lui demande : « Tu parles anglais ? » Hai se dirige vers la maison située à cinq cents mètres de la plantation et revient avec son livre de cours d'anglais. A l'aide de quelques mots de vocabulaire et de plusieurs signes, elle m'apprend que Huong, sa mère, et Lê, son père, ont tout juste 40 ans, et qu'ensemble ils ont trois enfants, Hai et ses deux frères : Hang, 15 ans, et Thang, 8 ans.

Vers midi, Huong saisit son panier bien rempli de fruits pour le vider dans un sac. La scène est ravissante. Malheureusement, les nuages du matin se sont dissipés et le soleil nous surplombe d'une dure lumière, projetant des ombres prononcées, spécialement sous le chapeau de Huong. Il fait une chaleur torride ; j'abrite ma caméra sous un caféier et j'aide à la cueillette.

Double page précédente

UNE À UNE, LES BAIES MÛRES SONT RÉCOLTÉES DANS UN CENTRE DE RECHERCHE SUR LES FRUITS TROPICAUX.

Je porte attention à la lumière et, en fin d'après-midi, je peux recommencer à prendre quelques photos. À 17 heures, Huong saisit son panier et se dirige vers son sac déjà à moitié plein de fruits du jour. En passant, elle s'arrête et pose son regard sur moi. Son visage est caressé d'une parfaite luminosité. Le panorama dépasse mes espérances. Le temps de faire quelques images, puis je baisse ma caméra pour lui faire un sourire qu'elle me renvoie aussitôt. Mon cœur bat à vive allure, le tout n'a duré que quelques secondes, pourtant j'ai l'impression que le moment est prévu depuis ce matin, lorsque je l'ai entrevue à travers la vitre de l'auto. Je regarde machinalement toutes les fonctions de ma caméra, mon film, et une dernière lecture de lumière. À peine quinze minutes plus tard, le soleil disparaît derrière les nuages à l'horizon.

De retour à l'hôtel, je numérote tous mes films et transcris mes notes. J'ai encore trois jours devant moi, mais j'ai le sentiment d'avoir déjà dépassé mes objectifs initiaux. Le lendemain matin, ces réflexions sont toujours présentes à mon esprit lorsqu'un violent orage me réveille. Puis mon guide m'annonce que c'est notre dernière journée de travail. Il doit repartir pour Hanoi où il est attendu. L'agence de voyages lui a dit « sept jours » alors qu'on m'en a promis neuf. Après maintes argumentations et appels à l'agence, je me résigne aux contraintes de ce séjour inhabituel pour profiter des vingt-quatre heures qui me restent. Les routes sont trop boueuses pour l'auto, aussi j'emprunte une moto et, sans mon guide, je retrouve Huong à la maison. Elle me fait vite comprendre qu'avec la pluie, il n'y a pas de cueillette.

Leur petite maison est confortable, avec des murs de ciment et un toit de tôle. A l'arrière, un puits, un enclos pour le cochon, la vache, le bœuf et les quelques poulets qui se promènent ici et là dans le jardin. Assis par terre près de la porte, nous égrenons le maïs. Une voisine vient nous aider quelque peu en attendant le mari de Huong, qui est infirmier. Avec le livre de Hai, nous réussissons à partager quelques informations et... plusieurs fous rires. Nous mangeons des arachides et des galettes de riz, le tout provenant de leurs quelques lopins de terre. Je fais la connaissance de Hang, le fils aîné, qui étudie à l'école secondaire du village.

En quittant la maison, je ne peux que reconnaître les bonnes conditions de vie de Huong et de sa famille, et ce malgré les salaires comparativement bas du Vietnam. Quelques mois plus tard, le Vietnam annonce que le pays a exporté, en 2001, trois millions de sacs de café de plus que l'année précédente, ce qui n'offre aucun espoir à une solution de la crise mondiale du café. De plus, le même communiqué énonce que, malgré cette importante hausse de production, les paysans ont vu leurs revenus chuter de 20 %. Soit 100 millions de dollars US de moins pour l'ensemble des producteurs de café du pays.

THANG, LE CADET DE LA FAMILLE, SE GAVE D'ARACHIDES ET DE GALETTES DE RIZ. HUONG, AVEC SON MARI LÊ À SA DROITE ET LEURS TROIS ENFANTS THANG, HANG ET HAI, ACCOMPAGNÉS D'UN VOISIN. HAI ÉGRAINE LE MAÏS RÉCOLTÉ SUR LES QUELQUES LOPINS DE TERRE DE LA FAMILLE.

Joseph nous emmène au *Coffee Tree Hotel*. Il fut à l'origine le premier collège de la région érigé par la KNCU « comme un monument pour démontrer le progrès du peuple Chaggas ». Après le repas, nous partons vers Mamboleo, où habite Joseph. Nous roulons pendant vingt minutes sur des routes cahoteuses dans la boîte d'un vieux Datsun bleu qui a déjà donné ses meilleures années. Wilfred, son propriétaire, est un grand gaillard au regard des plus amicaux.

Chez Joseph, un comité d'accueil nous attend : Joséphine, Jesca, Jaqueline, un neveu et ses amis se bousculent pour prendre nos bagages. La maison nous surprend : murs et planchers en ciment, portes et volets des fenêtres en bois, toit de tôle, salon meublé, salle à manger et trois chambres. Nous sommes bien loin des conditions rencontrées au sud du Mexique. Joseph a même l'électricité depuis peu. Son neveu et ses amis en profitent pour venir étudier ici le soir. Leah, la femme de maison, nous apporte le souper. Riz, fèves et légumes composent le menu, le tout avec un thé chaud. « Pourquoi boire du thé si vous cultivez du café ? », m'étonnai-je. « Au contact des Britanniques, nous avons pris l'habitude de boire du thé. Le café, c'était pour l'exportation », me répond Joseph.

La shamba

Notre première semaine s'avère riche en découvertes. Sophie, infirmière, prend son travail au dispensaire où, à part les deux médecins, le reste de l'équipe ne parle que le swahili, une langue bantoue répandue dans l'ensemble de l'Afrique de l'est. De retour tôt, elle consacre ses après-midi à l'étude de la langue avec Leah et les enfants de Joseph. Pour ma part, tous les matins, je quitte Mamboleo pour marcher une heure vers Kishimundu, Mruwia et Materuni, qui se trouve à la limite du Parc national du Kilimanjaro, à près de 2 400 mètres. Dans cette région, je peux apprécier l'une des importantes et ingénieuses particularités du Kilimanjaro : les systèmes traditionnels d'irrigation. Depuis plusieurs générations, les Chaggas ont développé et entretenu des rigoles qui, creusées à même la vallée, canalisent l'eau à des kilomètres en amont des rivières pour irriguer les terres plus sèches situées au bas de la montagne. Dans la vallée s'étale une mosaïque d'arbres indigènes, de plantations de café et de bananes entrecoupées de jardinets. Chaque petite ferme, appelée *shamba,* est flanquée de sa modeste grange avec deux ou trois vaches, de son enclos où vivent quelques chèvres et d'un poulailler. Ce système agroforestier est à l'origine du succès agricole des Chaggas, et ce malgré la haute densité de la population qui fait que chacune des familles du Kilimanjaro ne possède en moyenne qu'un demi-hectare.

Double page précédente

Dans les shambas, avec beaucoup de sérieux, même les plus jeunes participent à la cueillette.

VOLCAN HAUT
DE 5 895 MÈTRES
À LA CRÊTE ENNEIGÉE,
LE MONT KILIMANJARO
EST LE SOMMET LE PLUS
ÉLEVÉ D'AFRIQUE.

Dans le village de Lyamungo, la rencontre avec Gilbert, 29 ans, et Irène, 23 ans, me permet d'apprécier davantage toute la dynamique agricole du Kilimanjaro. Mariés depuis trois ans, ils ont deux petits garçons, dont le dernier n'a que 5 mois. Étant le plus jeune de sa famille, Gilbert, qui a deux frères et quatre sœurs, a construit sa maison à côté de celle de son père, avec lequel il cultive son lopin de terre. « C'est toujours mon père qui s'occupe de la taille des caféiers, précise-t-il, c'est une tâche trop délicate. » Au Kilimanjaro, contraints par les petites dimensions des terres, les fermiers taillent annuellement leurs caféiers pour qu'ils maintiennent leur production bien au-delà de l'âge habituel. « Nous ne pouvons pas nous permettre d'attendre quatre ans avant qu'un nouveau plant produise ses premiers fruits », m'explique Gilbert. Une particularité du Kilimanjaro qu'illustre parfaitement ma rencontre avec John, un homme frêle, taillant tranquillement ses caféiers. Non seulement John est nonagénaire, mais il entretient les plants de café qu'il a lui-même mis en terre il y a soixante-dix ans.

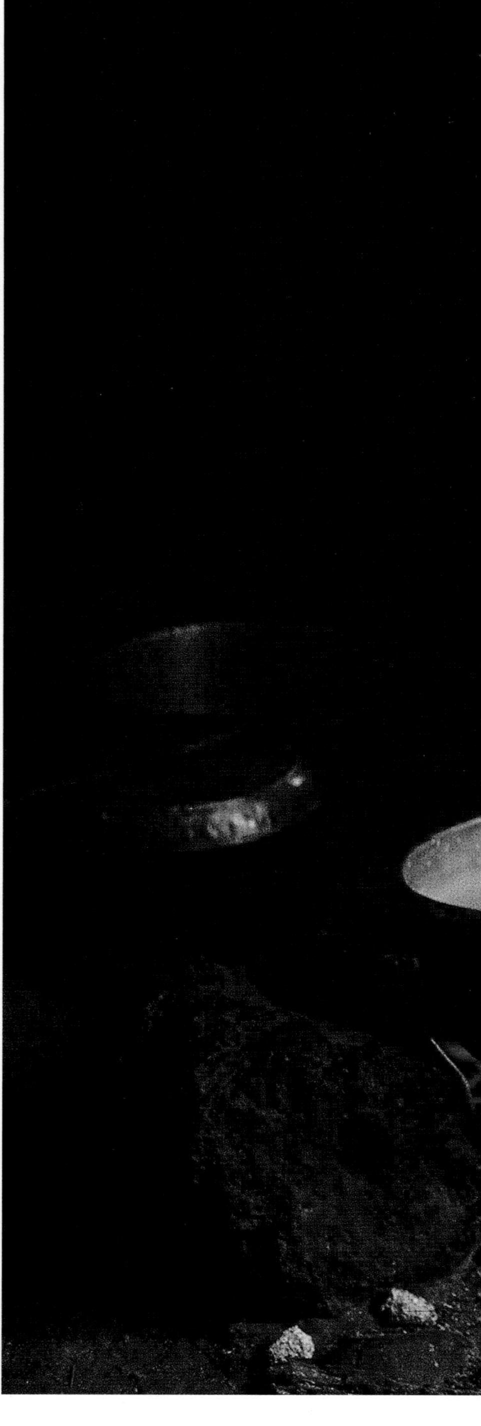

Irène Urassa cuisine l'ugali, une pâte faite à partir de farine de maïs et de noix de coco. La majorité des familles ont une alimentation équilibrée et diversifiée, mais la malnutrition touche tout de même le quart de la population de la région.

Tanzanie

Double page précédente

Dans le village de Kibaoni, Esta Kalungwana apprend ses leçons à la lueur d'une lampe à l'huile.

Double page suivante

Gloria Gervasi, sur la galerie de la maison de sa grand-mère au village de Mruwia.

Les Chaggas sont un peuple fier et enjoué qui a le sens de la cérémonie. Surtout s'il s'agit de la visite d'une ministre de la Condition féminine comme ce fut le cas au dispensaire de Kishimundu. Tous, revêtus de leurs plus beaux atours, ont dansé au rythme d'un groupe de musique traditionnelle.

Brésil

Je me dirige vers Varginha, connue comme « la capitale du café ». Au fur et à mesure, les plantations de café cèdent la place à de volumineux entrepôts. Aux bureaux de la coopérative Minasul, Antônio, le directeur, m'accueille avec courtoisie. Nous échangeons quelques mots en portugais, espagnol et anglais sur mon intérêt de connaître les rouages de l'industrie du café brésilien. « Nous, les coopératives, nous faisons le lien entre producteurs et exportateurs. Nous ne sommes pas propriétaires du café, chaque membre décide quand il vend. Nous les conseillons, nous nous assurons du professionnalisme de la transaction et nous offrons un soutien technique au niveau agricole ». Des services pour lesquels les coopératives perçoivent une mince taxe de 2 % sur le café vendu. La coopérative Minasul compte plus de 2 000 membres qui produisent une moyenne annuelle de 22 000 kilos de café chacun. Regroupant de grands producteurs, la quasi-totalité des coopératives brésiliennes ne peuvent exporter leur café dans le réseau équitable.

Rapidement, on nous sert un premier café. Antônio décroche le téléphone et me met en contact avec Samuel, un des six agronomes de la coopérative, avec lequel je vais visiter des fermes de la région. Tout au long de la route, Samuel pointe ici et là les plantations de café que nous croisons. Il commente leur étendue, les propriétaires, les nouvelles variétés de caféiers utilisées par celle-ci, la densité des arbres dans celle-là. « Ici, on ne joue pas avec le café », lance-t-il d'un ton convainquant en enfonçant une longue tige de métal sous un caféier. « C'est une industrie sérieuse, et on utilise les plus hautes technologies disponibles » ajoute-t-il en retirant un échantillon de terre qu'il fera analyser dans un laboratoire privé.

Les plantations sont de grandes monocultures qui dépendent d'importantes doses de fertilisants et pesticides chimiques. « Chaque ferme a son plan annuel de travail, avec les dates d'épandages, les doses, etc. », m'explique Samuel de retour au bureau, tenant en main le dossier de l'une des fermes visitées plus tôt. Le bureau des agronomes est tapissé d'une kyrielle d'affiches et de brochures en couleurs illustrant les multiples variétés d'intrants agricoles. Lors de la réunion d'équipe, une représentante commerciale vante les mérites d'un de ses fertilisants vedettes récemment « amélioré » ; le groupe d'agronomes n'écoute que d'une oreille distraite un discours déjà mille fois entendu.

Nous montons la colline d'un grand pâturage lorsque Samuel sort son altimètre : « C'est ici que le propriétaire voudrait planter du café. » Son appareil indique que nous sommes à 750 mètres. « Mais c'est trop risqué, à cause du gel. C'est ce qui nous cause le plus de problèmes dans la région » ajoute-t-il. À midi, deux représentants d'une compagnie française invitent Samuel au restaurant. Ils souhaitent développer des programmes d'assurance pour protéger les agriculteurs de café contre les pertes économiques causées par le gel.

Double page précédente

La ferme Ipanema, avec ses 3 000 hectares de vallons et ses millions de caféiers qui s'alignent en sillons parallèles.

Sous le regard du gérant,

les sacs de café

de la plantation de Paulo

sont chargés dans le camion

qui les mènera

vers les entrepôts

des exportateurs.

PAULO

Je suis avec des travailleurs sur le terrain escarpé d'une imposante ferme quand arrive un camion. Un grand homme mince et d'âge mûr en descend. C'est Paulo, le propriétaire. Il me regarde d'abord avec un peu de méfiance, mais nous entamons tout de même la conversation. « Ici, j'ai 500 hectares, j'ai une autre ferme de la même grandeur pas très loin dans la région et j'ai aussi 24 000 hectares dans l'État du Pará, en Amazonie. » Impressionné et surpris, j'écoute attentivement ses paroles qui déferlent. « En Amazonie, j'ai 6 000 hectares en pâturage avec 4 000 têtes de bétail et le reste est en foresterie durable. » « La foresterie durable ? ! », répétai-je pour m'assurer d'avoir bien entendu, avant d'ajouter un peu naïvement : « C'est sûrement mieux pour le sol de l'Amazonie qui s'affaiblit rapidement sans son couvert forestier. » « Ça, c'est ce que disent les écologistes ! », répond-t-il du tac au tac. « Le sol de l'Amazonie, comme partout ailleurs, il varie d'une place à l'autre. Les vrais écologistes, c'est nous, les fermiers. Nous, nous connaissons nos terres. »

VERDÃO

En fin d'après-midi, sur une ferme bicentenaire du sud du Minas, on mesure le volume de fruits récoltés par chaque travailleur, payé en fonction des résultats de sa cueillette.

« En 1976, le gouvernement a donné de l'aide pour le développement de l'agriculture en Amazonie. Nous étions plusieurs cousins, frères et amis à avoir acheté des terres. C'était difficile, on semait des choses et ça ne poussait pas. Ensuite, il y a eu des problèmes avec les Églises qui ont organisé les travailleurs sans terre. Plusieurs propriétaires avaient peur. Ils venaient me voir en disant : "Achète mes terres ! Achète mes terres !" Quand les prix ont baissé, j'ai acheté ! Et j'ai réglé mes problèmes avec ceux qui voulaient occuper mes terres », dit-il en mimant le port d'une carabine à son épaule. « Il existe des lois qui te donnent le droit de protéger tes biens. » Il s'empresse d'ajouter : « Ces lois existent aussi aux États-Unis et au Canada. J'avais donc le droit de protéger mes terres. » Je suis secoué. « J'ai pris des risques... Tout ce que je souhaite, c'est d'offrir un bon avenir à mes enfants et à mes petits-enfants. J'aurai essayé », conclue-t-il d'un ton neutre.

Alysson

Dans la région, j'ai l'opportunité de visiter une ferme bicentenaire ; la somptueuse villa des propriétaires témoigne de la richesse passée. Plusieurs générations en arrière, les familles ont quitté la légendaire ville coloniale d'Ouro Prêto à la recherche d'or dans le sud du Minas. Mais les mines sont rapidement épuisées. Certaines familles vendent alors leur large étendue de terre, tandis que d'autres restent et développent la production du lait et du café.

La ferme en est à ses dernières semaines de cueillette. Plus de cinquante employés saisonniers y travaillent. Au Brésil, on appelle ces travailleurs les *bóias frias* (bouffes froides). Ils arrivent tôt dans la plantation, apportant avec eux leur dîner. Au milieu de grands caféiers, je rencontre Alysson, un adolescent de 16 ans qui, depuis deux ans, cueille le café avec ses frères. Il passe rapidement ses mains sur les branches chargées d'un caféier pour y détacher les fruits qui tombent au sol. Au Brésil, tous les fruits, qu'ils soient mûrs, encore verts ou secs, sont récoltés en un seul passage. Lorsque son arbre est complètement dépouillé, Alysson se penche pour ramasser les fruits. Il les dépose dans un tamis qu'il projette habilement dans les airs pour séparer les fruits de la terre, des branches et des feuilles.

En fin d'après-midi, chacun se charge de ses sacs bien remplis des fruits du jour. Dans une charrette accrochée à l'arrière d'un tracteur, un gérant de la ferme mesure la récolte de chaque cueilleur, qui reçoit ensuite des coupons de la ferme en fonction du volume de sa cueillette. Chacun empoche ses coupons, prend son balluchon et s'éloigne sur le sentier sous les chauds rayons de soleil. Pour Alysson, le fruit de son labeur du jour se montera à 5 dollars US.

Après la cueillette, les fruits sont lavés et, sans que leur pulpe soit enlevée, ils sont exposés au soleil. Derrière la villa, de grandes quantités de café sèchent déjà sur un vaste plancher de ciment. Entiers, les fruits resteront là durant quatorze jours. Parfois, comme dans la ferme où je suis, après sept jours passés à l'extérieur, ils sont placés dans des fours à bois pour un dernier séchage de vingt-quatre heures.

Au Brésil, le café est cueilli en un seul passage. Aussi, à la fin d'une journée de cueillette, les fruits sont lavés et, sans que soit enlevée la pulpe, ils sont exposés au soleil ou séchés dans des fours chauffés au bois. Une fois sèches, les baies sont décortiquées dans un moulin mécanique pour en extraire les grains, qui sont mis dans des sacs en jute comme ceux que manipule Serge Bartoloso.

À l'aide d'un tamis, Alysson sépare les fruits des branches et des feuilles qu'il a ramassées au sol.

Dans la ferme voisine, Serge, un employé, passe des fruits secs au moulin mécanique pour en extraire les grains. De grosses poutres en bois soutiennent la structure du bâtiment monté sur des fondations de pierre. En début d'après-midi, Serge m'annonce que la journée de travail est terminée : « *C'est jour férié !* » Nous nous rendons à la cantine avec quelques employés de la ferme. Serge écarquille les yeux à l'écoute de mes histoires sur l'hiver canadien. « Je n'avais jamais vraiment rencontré un étranger », explique-t-il à un autre employé. Ces employés permanents logent dans des maisons mises à leur disposition par les propriétaires de la ferme. Le salaire de base de ces travailleurs ruraux est de 100 dollars US par mois. Serge m'apprend qu'une visite chez le médecin coûte 40 dollars US.

Double page précédente

DANS UN ENTREPÔT DE LA COOXUPÉ, DOMINGO AURELIANO SE PRESSE, UN SAC DE 60 KILOS SUR LA TÊTE. AU TOTAL, 2 500 000 SACS DE CAFÉ TRANSITENT ANNUELLEMENT PAR LES ENTREPÔTS DE L'EXPORTATEUR.

« J'ai établi ma deuxième ferme le plus près de chez moi où je pouvais obtenir du financement. » Cette nouvelle propriété de quelques milliers d'hectares en compte 200 destinés au café. « C'est une grande ferme... », appréciai-je, mais avant même que je puisse ajouter un mot, Giovani se tourne vers moi avec un drôle d'air : « Les gros producteurs ont 2 000 hectares de café ! », lance-t-il d'un ton sec. Arrivé à la quarantaine, Giovani est davantage un homme d'affaires qu'un fermier. Il discute d'agriculture son cellulaire collé à l'oreille, grillant son troisième paquet de cigarettes et sirotant un whisky. Dans le district où nous sommes, 52,4 % des terres appartiennent à des propriétaires de fermes de plus de 1 000 hectares, alors que 0,1 % des terres appartiennent à ceux qui en ont moins de 10.

À l'entrée de sa ferme, nous passons devant un grand panneau qui annonce un partenariat de la Banque du Nordeste. Giovani m'emmène rapidement faire le tour de sa propriété. Nous sortons de sa voiture et marchons au milieu de vigoureux jeunes caféiers. « Ici, nous avons la chaleur et les heures d'ensoleillement. Les plantes poussent les douze mois de l'année et il n'y a pas de maladies. » Une longue armature de tuyaux surplombe l'étendue de cimes uniformes. « Tu ne trouveras rien de mieux ailleurs dans le monde. » Ce système d'irrigation sur pivot central pompe 1 600 000 litres d'eau à l'heure dans la rivière Urucuia, qui longe les terres de Giovani. « En trois jours, avec deux personnes, on irrigue les 200 hectares. » À côté de la plantation, un grand bassin permet de mélanger les fertilisants et les pesticides ajoutés à l'eau. « Tout ce que tu donnes, la plante le prend », insiste Giovani. Ce que semblent prouver les faramineux rendements : « Dans les premières sections où j'ai semé, j'ai récolté cette année 7 000 kilos de café à l'hectare. » Soit dix fois plus que la moyenne nationale. « Ce qu'il y a de plus moderne, tu l'as devant toi ! » insiste-t-il avec assurance devant mon regard ébahi. « Dans les autres régions, les plantations commandent les cultivateurs, mais ici, avec l'irrigation, c'est nous qui commandons les plantations. »

Pour établir sa ferme, Giovani a dû faire défricher le terrain, préparer le sol, construire sa maison, celles des employés, les garages, le système d'irrigation, préparer les semis de café, ensuite la plantation... Et attendre quelques années pour obtenir une première récolte. Les travaux ont nécessité un investissement de plus de 1,5 million de dollars US, financé à 20 % d'intérêt. « Avec mes coûts de production à moins de 60 cents par kilo, si les prix sont bons, je rembourse le tout en trois ans. »

Dans une région aride du nord du Minas, la culture du café brésilien s'est donné de nouvelles frontières grâce à des systèmes d'irrigation utilisant la fine pointe de la technologie, comme on en retrouve sur la ferme de Giovani.

Fleurs de caféiers arabica.

Ci-contre de haut en bas : Une jeune pousse arborant les restes du grain de café à partir duquel elle a germé dans le sud du Minas. Manuel replace des semis de café sur la ferme de Giovani. Un petit plant de café mis en terre sur la ferme Ipanema.

Double page précédente : ALORS QUE LE TEMPS EST À L'ORAGE, UNE ÉCLAIRCIE ILLUMINE LE VISAGE DE RANIELI, L'UNE DES FILLES DE VALDIR RAMO.
Double page suivante : LA FEMME DE VALDIR, ÂNGELA, TIENT DANS SES BRAS JAINE, LA PLUS JEUNE DE LEURS TROIS FILLES.

DANS DES FOURS EN BRIQUES, VALDIR RAMO TRANSFORME EN CHARBON LE BOIS DÉFRICHÉ SUR LES TERRES DE GIOVANI.

VALDIR

Nous traversons une autre section de la terre où Giovani a semé du manioc destiné à l'industrie pharmaceutique. Il a 1 100 hectares plantés en manioc, le reste de sa terre n'étant pas encore déboisé. À la lisière de la forêt, des fours en brique fument, laissant échapper de petits voiles gris. C'est là que le bois défriché de la forêt originale est transformé en charbon. J'emprunte la moto de la ferme et je retourne, seul, voir ces fours. Couvert de suie, une casquette de travers sur la tête, Valdir vide le contenu d'un four à l'aide d'une large fourche. Il a 31 ans et exerce le métier de charbonnier depuis treize ans. Deux fois par jour, il remplit de branches et de troncs les fours de brique et de glaise dans lesquels le bois se consume avec un minimum d'oxygène. Après plusieurs heures, il retire les briques de la porte pour extraire le charbon, qui sera mis en sacs et vendu dans les villes de la région. Ce charbon d'usage ménager est aussi destiné à l'industrie de l'acier brésilien, vendu ensuite à bas prix sur le marché nord-américain.

Valdir vit à deux pas des fours avec sa femme Ângela et leurs trois petites filles. Ils m'invitent à prendre une tasse de café dans leur campement de fortune fait de bois, de paille et de sacs de plastique. Ângela porte Jaine dans ses bras, pendant que Monique et Raniele s'amusent sur la couchette dans un coin de la petite pièce. Valdir, qui grille une cigarette, s'arrête et tousse bruyamment : « J'ai mal à la gorge depuis quelque temps. » À ma droite, toute la richesse de la famille : des assiettes, des verres, une indispensable casserole pour la cuisson des fèves et un Thermos pour garder le café chaud. Je note dans mon calepin le nom et l'âge des filles qui me regardent en pouffant. Au fil de la conversation, Valdir philosophe : « Les Brésiliens ne savent pas tirer profit de leurs propres richesses. »

Le temps est à l'orage, mais je peux voir à l'horizon une ligne de ciel bleu qui laisse présager une magnifique lumière. Un quart d'heure plus tard, le soleil perce les nuages de ses chauds rayons. Le moment est intense. Je quitte Valdir et sa famille, regrettant de n'avoir pu leur dédier que si peu de temps. À la villa, Giovani prépare des grillades sur charbon de bois pour des représentants de la banque et un ami, futur producteur de manioc dans la région. Cet entrepreneur m'entretient sur ses 750 hectares de café, 1 500 de soya et autres 20 000 hectares de terre qu'il possède ici et là. Décidément, le Brésil est un pays de démesure et de contrastes.

Costa Rica

La famille d'Eddy Guzmán est membrede la coopérative El Dos, l'une des neuf qui forment Coocafé *(El Consorcio de Cooperativas de caficultores de Guanagaste y Montes de Oro)*, un modèle dans le réseau du café équitable.

Février 2002. J'atterris à San José et, pour la première fois en six ans, j'arrive directement en zone caféière. Cette capitale se situe dans la Vallée centrale du pays, première région où fut introduit le café dès la fin du XVIIIe siècle. Structurée et moderne, l'industrie du café du Costa Rica compte aujourd'hui plus de 73 000 producteurs, occupant 5 % de la main-d'œuvre de ce pays de 4 millions d'habitants. Pour ce peuple qui jouit de l'un des meilleurs niveaux de vie en Amérique latine, le café est une fierté nationale.

Costa Rica

Au centre communautaire du village, Reiner, un homme dans la cinquantaine et solidement charpenté, vient à ma rencontre. Lui et son fils possèdent chacun quatre hectares de café. « Nous avons beaucoup investi dans la plantation », me dit-il alors que nous marchons dans un lopin escarpé, cultivé en terrasses. Reiner, comme la grande majorité des producteurs costaricains, cultive son café de manière conventionnelle, utilisant fertilisants et pesticides chimiques. « Désherber à la machette, ça prend huit fois plus de main-d'œuvre qu'avec une bonbonne d'herbicide » affirme-t-il. « Ici, les travailleurs gagnent 6 à 10 dollars US par jour. » Un des plus hauts salaires journaliers des pays producteurs de café.

Le Costa Rica se caractérise par de hauts rendements – 1 500 kilos par hectare – et des coûts de production élevés : 2 dollars US le kilogramme. Or en ce mois de février 2002, les prix offerts aux producteurs ne dépassent pas 1 dollar US par kilo. « En réalité, si les mauvais prix continuent, je vais devoir vendre une partie de notre ferme pour ne pas tout perdre », conclut Reiner en baissant la tête. Le lendemain, son fils me conduit à l'autobus. En route, il me demande comment faire pour obtenir un visa de travail pour le Canada.

Tous les jours après la cueillette, les producteurs apportent leurs fruits au *beneficio,* une usine de transformation du café. Les fruits sont passés dans un moulin mécanique pour séparer la pulpe du grain. Près d'Ojo de Agua, la coopérative s'est équipée d'une première usine, mais sa plus novatrice se trouve dans la région côtière. Elle utilise la fine pointe de la technologie pour retirer en même temps la pulpe et le mucilage. Sans fermentation ni lavements répétitifs, le procédé réduit la consommation d'eau à 10 % des besoins habituels. De plus, la pulpe est mélangée à des sous-produits de canne à sucre, de riz et à du fumier de bovin pour en faire un compost qui servira à engraisser les plantations de café. La coopérative Montes de Oro est non seulement certifiée ISO 9002, mais également ISO 14001 pour sa gestion respectueuse de l'environnement.

En bordure de l'usine, les grains sont étalés sur le *patio,* une grande surface de ciment où le café sèche au soleil. « Sur le *patio,* ça prendrait au moins sept jours... Avec la quantité de café que l'on a, on manque d'espace », constate Victor. Aussi, après deux jours à l'extérieur, les grains passent dans un séchoir alimenté par un système d'échangeur de chaleur qui tire profit de l'énergie solaire. Sur le toit de l'usine, des panneaux solaires réchauffent l'eau qui circule ensuite dans le séchoir. La chaleur emmagasinée par l'eau est à son tour transférée à l'air soufflé sur les grains de café par un grand ventilateur. « Avec le séchoir solaire, on finit le travail en 24 heures », commente Victor. On réalise encore mieux la portée de cette nouvelle technologie quand on sait qu'au Costa Rica la grande majorité des usines utilisent la combustion du bois pour alimenter les séchoirs à café. Pour l'ensemble du pays, cela implique une consommation de 300 000 mètres cubes de matière ligneuse, soit 2 000 hectares de forêt abattus chaque année.

Du haut de la tourelle du silo de l'usine, je vois les employés qui, telles de petites fourmis, travaillent sur le grand *patio.* Nous sommes en fin d'après-midi et la lumière se réchauffe agréablement. Dans un secteur, Juan, le doyen du groupe d'employés, glisse patiemment son râteau et défait les petits sillons pour que les grains d'or sèchent de manière uniforme.

Double page précédente

UN ARC-EN-CIEL AGRÉMENTE UNE FIN DE JOURNÉE PLUVIEUSE DANS LA PETITE COMMUNAUTÉ DE OJO DE AGUA, SITUÉE DANS UNE RÉGION MONTAGNEUSE SURPLOMBANT LA PÉNINSULE DE NICOYA.

À la coopérative Montes de Oro, le café est séché au soleil, puis dans des fours à énergie solaire. De plus, lorsque les fruits sont passés au moulin mécanique, la consommation d'eau est réduite à 10 % des taux habituels et les résidus de pulpe, transformés en compost, vont amender les plantations de café.

Costa Rica

Santa Elena

En me rendant en autobus à la coopérative de Santa Elena, je croise des paysages bucoliques où se succèdent de grands pâturages sur des vallons escarpés. En deux heures, nous passons du niveau de la mer à plus de 1 500 mètres, pour arriver dans la région de Monteverde, reconnue mondialement pour ses grandes réserves de forêts luxuriantes.

On trouve là de nombreux hôtels, des restaurants, un centre d'étude des orchidées, un jardin de papillons et même un étang aménagé pour l'élevage des grenouilles. La coopérative a également ouvert un café habilement décoré et qui livre diverses informations sur l'agriculture et le commerce de l'or vert. « Nous vendons 30 % de notre café sur le marché national, dont une grande partie aux touristes qui viennent visiter la région », m'explique Guillermo, le gérant de la coopérative, assis sur un tabouret. « Avec l'augmentation de la valeur des terres et le travail disponible dans l'industrie du tourisme, il y a beaucoup de pressions sur la population locale pour qu'elle abandonne l'agriculture. Mais nous souhaitons continuer à promouvoir l'agriculture de subsistance et la propriété de nos terres agricoles », ajoute-t-il. « Le café fait partie d'un système. Dans nos fermes, nous avons un peu de café et des arbres indigènes qui forment des corridors écologiques entre les réserves. » Dans l'après-midi, je visite seul la caféière de l'un des membres de la coopérative. Mais ma solitude n'est que passagère : un toucan multicolore vient vite parader sur les branches des arbres qui bordent la plantation. En moins d'une heure, j'identifie dix espèces d'oiseaux différents.

El Dos

Assis sur mon sac à dos, cela ne fait pas cinq minutes que je me repose lorsque arrive Christian, l'agronome de la coopérative El Dos, voisine de Santa Elena. Nous partons visiter des fermes de la région et il me présente à la famille Guzmán, avec laquelle je vais vivre quelque temps. Roger, Gladys et leurs cinq enfants ont leur ferme depuis à peine deux ans. « J'ai travaillé vingt ans dans une fabrique de ciment. J'avais besoin de changer d'air », me confie Roger un dimanche, en bordure du « terrain de foot ». « Avec la crise actuelle, c'est un peu difficile. Je ne peux pas dire que je couvre mes frais. J'étais conscient que ça allait être difficile, mais la qualité de vie que j'ai acquise, ça vaut quelque chose ; pour moi et pour mes jeunes. » Sur le terrain, les trois plus âgés jouent dans deux équipes adverses pendant que Doriams, le plus jeune, court le ballon sur les lignes de touche, vêtu de son chandail de *Saprisa,* son équipe nationale favorite. Vanessa, l'aînée de la famille, rit avec des amis au centre communautaire, à quelques pas d'où nous sommes. « Au moins, ma ferme n'est pas endettée comme c'est souvent le cas ici. Il faut pouvoir compter sur le travail de la famille, sinon tu ne t'en sors pas. »

Le lundi matin, la famille au grand complet cueille le café. En fait, Doriams est trop occupé à taquiner tout le monde pour ramasser un seul fruit. On rit abondamment aux souvenirs de la fête du village de samedi soir et on commente la performance de la « sélection nationale » dans la *Copa de Oro* à Miami. Christian arrive, lançant toujours à point des blagues qui contribuent à l'ambiance légère qui règne dans la plantation.

Christian conseille Roger sur une section de sa ferme où les caféiers sont plus faibles. « On encourage nos membres à utiliser le moins possible les pesticides et les fertilisants chimiques », spécifie Christian. « Au Costa Rica, nous sommes habitués à de hauts rendements, mais nous voulons aussi que nos pratiques agricoles soient respectueuses de l'environnement. » De plus, depuis quelques années, la coopérative a lancé un programme d'agriculture biologique qui compte une vingtaine de producteurs et environ le même nombre en attente de leur certification.

Double page précédente

Le café que Juan González retourne patiemment sur le *patio* de la coopérative Montes de Oro sera exporté à des organisations de commerce équitable en Europe, au Japon et en Amérique du Nord.

Eddy et Ruben Guzmán dans la plantation familiale.

Vanessa Guzmán.

Un toucan en bordure d'une plantation de café à Monteverde.

Asdrubal

Producteur biologique, Asdrubal est un homme de haute taille, avec des mains laborieuses de paysan. À 4 heures du matin, il quitte la maison pour aller traire ses sept vaches. Après avoir aidé un jeune veau à boire, il lave les trayons d'une première vache et installe son petit banc. Accoté contre un flanc du ruminant, il lui parle machinalement et empoigne les trayons pour en extraire le lait d'un geste précis et ferme. Non seulement le lait lui offre un important revenu hebdomadaire, contrairement au café qui est saisonnier et d'un rendement souvent imprévisible, mais le fumier est aussi une matière essentielle dans la production du compost qui engraisse ses trois hectares de café. La plantation est une suite de caféiers où s'insèrent quelques arbres de différentes espèces. « Ces arbres-là, ce sont des légumineuses qui contribuent à fertiliser la terre », m'indique-t-il. « En plus, ils offrent un bon ombrage aux caféiers, et ça, c'est une des clés pour contrôler les maladies. »

En engloutissant son *pinto,* un mélange de riz et de fèves typique du Costa Rica, Asdrubal m'entretient sur sa conversion à l'agriculture biologique : « Il y a cinq ans, lorsque j'ai arrêté d'utiliser des pesticides et des fertilisants chimiques, ma production a baissé de moitié, expose-t-il, le regard grave. On arrêtait tout produit chimique mais,

Dans la campagne entourant le village d'El Dos Tilarán, Carolina Rodriguez garde un œil attentif sur le téléroman de l'heure.
À gauche : Asdrubal Rogriguez amende à l'aide de compost sa plantation de jeunes caféiers.

à part le compost, on ne faisait pas grand-chose. J'ai suivi une formation en agriculture biologique offerte par Coocafé. On a appris à utiliser des herbes qu'on trouve dans la région pour fabriquer un fongicide biologique qui combat la rouille. Il faut savoir quelles plantes mélanger ensemble, et ça fonctionne très bien. »

« J'ai même d'autres mélanges pour engraisser le feuillage de mes caféiers », poursuit-il en déposant son repas à ses côtés pour aller vers un grand baril bleu dont il retire le couvercle. « Lorsque vient le temps des mangues ou des avocats, on en a toujours plus que ce qu'on peut manger. Je ramasse ceux qui tombent, je les mets dans mon baril avec différentes herbes et de la mélasse de canne à sucre. » Asdrubal penche alors le baril d'où coule un mélange visqueux et foncé : « Après quelques mois, j'ai un extrait de plantes que je dilue dans l'eau puis que je vaporise sur mes caféiers. » « Il faut connaître les propriétés minérales des plantes qu'on mélange pour s'assurer que les caféiers vont recevoir tout ce dont ils ont besoin. C'est très efficace, et ça ne me coûte rien à part mon temps. Mes caféiers ont repris des forces, ils sont moins affectés par les maladies. J'ai rattrapé et même dépassé ma production d'il y a cinq ans, avec des récoltes de 1 000 kilos par hectare. »

Asdrubal termine quelques travaux à la plantation et nous retournons à la maison où nous retrouvons Carolina, l'une de ses deux filles, adossée à la porte d'entrée. Elle coud des vêtements pour ses poupées tout en gardant un œil attentif sur le téléroman de l'heure qu'écoutent religieusement sa sœur aînée et sa mère. En soirée, nous descendons à pied au village. Ayant reçu le paiement de la coopérative pour le café qu'il a apporté quelques jours auparavant, Asdrubal passe au magasin général et dans quelques commerces pour régler des factures. « Avec les bons prix du café biologique, je suis en bien meilleure situation qu'avant », se réjouit-il. Cette année, Asdrubal reçoit 2,50 dollars US par kilogramme de café, soit plus du double de la moyenne nationale.

Le commerce équitable

Les bases du commerce équitable remontent aux années 40 et 50, quand certaines Églises et des organismes de développement tel Oxfam commencent l'importation d'artisanat provenant de petites associations de divers pays du Sud. Puis vient le tour des produits alimentaires, dont le café. Celui-ci connaît une expansion importante vers la fin des années 1980, lors de la fondation en Hollande de l'organisme de labellisation Max Havelaar, qui permet au café équitable d'être distribué dans les réseaux conventionnels. Cette institution emprunte son nom au héros d'un roman hollandais de 1860 qui dénonçait le mauvais traitement des travailleurs du café en Indonésie sous la domination batave. D'autres pays ont développé leurs organismes de certification et, en Suisse, peu de temps après le lancement du label Max Havelaar en 1988, les ventes de café équitable atteignent 5 % de la distribution au pays. Aujourd'hui, on estime que, dans l'ensemble de l'Europe, il y a plus de 70 000 points de vente de produits équitables. En Amérique du Nord, le café équitable est le secteur qui connaît la plus forte croissance dans le domaine des cafés de spécialités, avec des ventes dépassant les deux millions de kilos en 2000. Du côté des producteurs, 800 000 familles, soit près de 5 millions d'individus dans 45 pays du Sud, bénéficient du commerce équitable.

Pour être certifiée équitable, une denrée doit être importée d'une organisation de petits producteurs garantissant un fonctionnement et des prises de décisions démocratiques. De plus, l'acheteur garantit un prix minimum de 2,77 dollars US le kilogramme, il doit fournir du crédit à l'organisation paysanne et s'engager à long terme envers celle-ci. Les pratiques agricoles doivent respecter l'environnement, et une partie des profits doit être réinvestie dans le développement communautaire. Outre le café, thé, cacao, sucre, miel, bananes, épices, noix, jus de fruit et même vins peuvent être certifiés équitables. Il est également possible de trouver divers produits d'artisanat, de la céramique, du textile, des vêtements, des bijoux et des jouets importés dans ce même esprit.

À Guadalupe au Mexique, les mains d'Adela Guzmán Lopéz, remplies de café torréfié.

Pour plus d'information

- Fairtrade Labelling Organizations International (FLO-I) (basé en Allemagne)
  Tél. : 49 228 94 92 30
  Courriel : coordination@fairtrade.net
  Site Internet : www.fairtrade.net
- International Federation for Alternative Trade (IFAT) (basé en Angleterre)
  Tél. : 44 1869 249 819
  Courriel : info@ifat.org.uk
  Site Internet : www.ifat.org

Belgique

Magasins du monde-Oxfam
Tél. : 32 2 332 01 10
Courriel : mdm.oxfam@mdmoxfam.be
Site Internet : www.madeindignity.be

Max Havelaar Belgique
Tél. : 32 2 213 36 20
Courriel : info@maxhavelaar.be
Site Internet : www.maxhavelaar.be

Oxfam Belgique
Tél. : 32 2 501 67 00
Courriel : oxfamsol@oxfamsol.be
Site Internet : www.oxfam.be

European Fair Trade Association (EFTA)
Tél. : 32 2 213 12 46
Courriel : efta@eftadvocacy.org
Site Internet : www.eftadvocacy.org

Canada

10 000 villages
Tél. : 519 662-1879
Courriel : inquiry@villages.ca
Site Internet : www.villages.ca

Équiterre
Tél. : 514 522-2000
Courriel : info@equiterre.qc.ca
Site Internet : www.equiterre.qc.ca

Oxfam Canada
Tél. : 613 237-5236
Courriel : enquire@oxfam.ca
Site Internet : www.oxfam.ca

Oxfam Québec
Tél. : 514 937-1614
Courriel : info@oxfam.qc.ca
Site Internet : www.oxfam.qc.ca

TransFair Canada
Tél. : 613 563-3351
Courriel : fairtrade@transfair.ca
Site Internet : www.transfair.ca

France

Artisans du monde
Tél. : 33 1 56 03 93 50
Courriel : info@artisansdumonde.org
Site Internet : www.artisansdumonde.org

Max Havelaar France
Tél. : 33 1 42 87 70 21
Courriel : Info@maxhavelaarfrance.org
Site Internet : www.maxhavelaarfrance.org

Suisse

Magasins du monde
Tél. : 41 21 6612700
Courriel : info@mdm.ch
Site Internet : www.mdm.ch

Max Havelaar Suisse
Tél. : 41 61 2717500
Courriel : postmaster@maxhavelaar.ch
Site Internet : www.maxhavelaar.ch

Pays-Bas

Max Havelaar Hollande
Tél. : 31 30 233 4602
Courriel : maxhavelaar@maxhavelaar.nl
Site Internet : www.maxhavelaar.nl

Remerciements

J'aimerais d'abord remercier tous les producteurs de café rencontrés lors des reportages qui ont mené à la publication de ce livre. Paysans, manœuvres dans de grandes plantations ou travailleurs dans de vastes entrepôts, avec lesquels j'ai pu partager un brin de conversation, un repas ou un toit. Je suis redevable à ces gens non seulement pour leur hospitalité, mais également pour leur générosité dans le partage de leurs connaissances et expériences. Merci tout particulièrement à ceux et celles qui m'ont donné le privilège de documenter leur quotidien à l'aide de ma caméra.

Au Mexique, merci aux membres de l'UCIRI, aux familles des villages de Guadalupe et de San Pedro, à Mauricio, José Eli, Javier, Frans, Roberto, Nelly, Victor et aux enseignants de l'école d'agriculture.

Gilbert Urassa avec son dernier-né devant la maison de son père, sur la terre familiale au mont Kilimanjaro, en Tanzanie.

En Tanzanie, merci à la KNCU, à Joseph, Wilfred, Ulomy, Raymond et Kimati. Aux familles des districts de Moshi, Rombo et Lyamungo qui nous ont reçus, Sophie et moi. À Albert, Kuserie, Matthew, Evans et les infirmières du dispensaire de Kibaoni.

Au Brésil, merci à Geneviève et à Bats. À Daniel de la Fondation João Pinheiro et à José de l'Organização das Cooperativas do Estado de Minas Gerais. À Maurílio et sa famille, à Giovani, à la Coopérative de Campos Gerais, Varginha, Guaxupé (Cooxupé), et à la ferme Ipanema.

Au Vietnam, merci à David, à Johanne et à Thinh, du bureau d'Oxfam-Québec à Hanoi. Aux autorités de la province de Nghe An et du district de Nghia Dan. Aux familles du district de Nghia Dan et à Nathalie pour leur généreuse hospitalité.

Au Costa Rica, merci à Sebastian, Carlos, Esdras et Ramon, de la Coocafé. À Victor de Montes de Oro, à Francisco et à Guillermo de Santa Helena, à Christian et à Juan Carlos d'El Dos, ainsi qu'aux familles rencontrées dans ces différentes coopératives qui m'ont accueilli avec tant de courtoisie.

J'aimerais remercier Laure, avec qui cette quête a débuté. Merci à l'équipe d'Équitère, qui coordonne la campagne « Un juste café ».

Un très vif remerciement à Oxfam-Québec et ses partenaires qui, au fil des années, ont su m'accorder leur confiance et ont contribué à la réalisation des trois derniers séjours ainsi qu'à la publication de cet ouvrage. J'aimerais particulièrement souligner le soutien de Pierre, Gilles, Luc, Dario… et de tous ceux qui ont œuvré à l'éducation du public et au commerce équitable chez Oxfam-Québec.

Pour la réalisation de ce livre, je suis redevable à Emerson pour sa grande patience et son aide précieuse quant à la rédaction de cet ouvrage. À Stéphanie, Eric et Michèle pour leur talent et leur sensibilité dans la mise en page. À Denis pour la photogravure. À Nathalie, Sophie, Aline, Angèle, Marie-Christine, Laure, Nicolas et Luc pour la relecture des textes. À Joëlle pour la révision.

Merci à Jean-François, Dominique et Jean-Marie, qui ont su prendre ce projet d'édition avec confiance et ouverture d'esprit.

Merci à mes amis, collègues, professeurs et organisations diverses qui m'ont conseillé et soutenu au cours de ce travail. À Jose et Louis, pour leurs judicieux avis. À André, avec lequel j'ai réalisé le deuxième séjour au Mexique. À mes parents qui m'ont toujours permis de rêver et qui ont su me transmettre toute la ténacité nécessaire pour réaliser ces rêves. À ma belle-famille, à Aline qui, patiemment, a révisé un nombre incalculable de lettres et textes de toutes sortes. À Sophie, ma douce moitié, qui a su m'encourager dans les hauts et les bas de cette aventure, très certainement la plus enrichissante que la vie m'ait offerte à ce jour.

Merci à tous ceux qui croient au commerce équitable ; aux étudiants, bénévoles, organisations non gouvernementales, torréfacteurs, épiceries, café-bistros, institutions et aux consommateurs qui font ce choix.

Bibliographie

- Agence France Presse. 2001. « Des milliers de membres des minorités des hauts plateaux veulent leurs terres » (7 février).
- Agence France Presse. 2001. « Le Vietnam déploie des troupes et interdit l'accès des hauts plateaux » (8 février).
- Agence France Presse. 2001. « L'ampleur des manifestations des minorités illustre leur ressentiment » (11 février).
- Agence France Presse. 2001. « World Bank signs biggest ever raft of credit for Vietnam » (July 5).
- Agence France Presse. 2001. « Vietnam jails seven in first convictions for February unrest » (September 27).
- *Asia Times.* 2001. « Vietnamese exports see highs and lows » (December 22).
- Collier (Robert). 2001. « Mourning Coffee : World's leading java companies are raking high profits but growers worldwide face ruin as prices sink to historic low ». *San Francisco Chronicle* (May 20).
- Coste (René). 1992. *Coffee : the plant and the product.* The Macmillan Press Ltd. London. 328 pages.
- Diaz (Ximena Avellaneda). 1990. « Los grupos etnicos del estado de Oaxaca ». América Indigena n° 50 (2) : p. 343-363.
- *Far Eastern Economic Review (The).* 2001. « Vietnam lags on IMF commitments » (September 27).
- Griswald (Daniel). 1996. « Sustainable coffee ». *Coffee talk* (September) : p. 18-20
- Greenfield (Gerald). 2002. « Vietnam and the world coffee crisis : local coffee riots in a global context ». Asia-Pacific Land & Freedom conference organized by the International Union of food, agricultural, hotel, restaurant, catering, tobacco and allied workers' associations (IUF) – Asia/Pacific.
- *Guide to the economy of Minas Gerais.* 2000. Companhia brasileira de metalurgia e mineracao. Araxá. 348 pages.
- Kazmin (Amy). 2002. « Vietnam tackles coffee crisis : plans include reducing acreage and expanding arabica production ». *Financial times* (January 29).
- « Kilimanjaro region socio-economic profile ». 1998. The planning commission. Dar es-Salaam. 200 pages.
- Macchiones Saes, M.S., Farina, E.M.M.Q. 1999. « O agribusiness do café no Brasil ». Milkbizz. São Paulo. 230 pages.
- Murphy (S.T.), Moore (D). 1990. « Biological control of the coffee berry borer, *hypothenemus hampei* (Ferrari) *(Coleoptera, Scolytidae)* : previous programmes and possibilities for the future ». *Biocontrol News and Information* n° 11 (2) : p. 107-117.
- Perfecto (I.), Rice (R.A.), Greenberg (R.), Van der Voort (M). « Shade coffee : a disappearing refuge for biodiversity ». *BioScience* n° 46 (8) : p. 598-608.
- Purata (S.), Meaves (J.). 1993. « Agroecosystems as an alternative for biodiversity conservation of forest remnants in fragmented landscapes » (page 9 *in* « Forest remnants in the tropical landscapes : benefits and policy implications »). Symposium abstracts. Washington (DC) : Smithsonian Migratory Bird Center.
- Ransom (David). 1995. « Coffee : spilling the beans ». *The New Internationalist* n° 271 : p. 1-36.
- Rice, (Paul D.), McLean (Jenifer). 1999. « Sustainable Coffee at the Crossroads ». Washington, D.C. : Consumer's Choice Council (October 15).
- Rice (Robert). 1996. « Coffee modernization and ecological changes in northern Latin America ». *Tea & Coffee Trade Journal* (September) : p. 104-113.
- Sesia (Paola). 1990. « Salud y enfermedad en Oaxaca ». *América Indigena* n° 50 (2) : p. 291-308.
- Sick (Deborah R.). 1993. « The golden bean : coffee, cooperatives, and small-farmer decision making in Costa Rica ». Doctorate thesis, department of Anthropology. Montreal, McGill University.
- Asia Times. 2001. « Vietnamese exports see highs and lows » (December 22).
- Waridel (Laure). 2002. *Coffee with pleasure : just java and world trade.* Black Rose Books. Montréal. 176 pages.
- Wrigley (Gordon). 1988. *Coffee.* John Wiley & Sons, Inc. New York.

Internet

- United Nation Development Program (UNDP) : www.undp.org
- International Coffee Organization (ICO) : www.ico.org
- Banque mondiale : www.worldbank.org
- Coocafé : www.coocafe.com

L'AUTEUR
ÉRIC ST-PIERRE
ET LA FAMILLE TEODORO
ORTIS, À SAN PEDRO
AU MEXIQUE,
EN DÉCEMBRE 2001.

L'auteur

Le Québécois Éric St-Pierre est un être de passions... Passionné par la photographie, le reportage, la société dans laquelle il vit et qu'il observe avec un grand respect. Passionné par la condition humaine. Par la quête de l'authentique.

Après des études en photographie, il termine une formation universitaire en géographie. En 1996, à la suite d'un premier séjour auprès de producteurs de café au Mexique, il fonde avec d'autres étudiants la campagne « Un juste café ». Photographe à la pige pour les journaux *La Presse* et *Le Devoir*, Éric St-Pierre continue parallèlement ses reportages sur le café et trouvera un écho auprès d'Oxfam-Québec, un organisme à vocation humanitaire qui, au cours de ces dernières années, a fait du commerce équitable l'un de ses chevaux de bataille. En septembre 1998, Oxfam-Québec, Équiterre et Le Biodôme de Montréal présentent sa première exposition intitulée « Visages Café » sur le quotidien des caféiculteurs du sud du Mexique.

Il parcourt ensuite la Tanzanie, le Brésil, le Vietnam et le Costa Rica. Dans chacun de ces pays, le photoreporter côtoie des familles jusqu'à être admis, jusqu'à comprendre. A la source du lucratif commerce du café (deuxième marché mondial de matières premières après le pétrole), plusieurs de ces familles travaillent pour des salaires de misère. Aussi certaines d'entre elles, organisées en coopératives, luttent pour préserver leur dignité.

Chargées d'émotion, les images qu'Éric St-Pierre ramènera de ses séjours sont d'une rare sensibilité et excellent à rendre compte des réalités humaines. Elles interpellent toujours, émeuvent parfois et attendrissent souvent. Un regard, un geste, un paysage, un rayon de lumière... et voilà le regard entraîné au-delà de la simple apparence. Au plus près. Au plus vrai. Vers l'âme de ces peuples.

Avec ce premier livre et cette série de photographies évocatrices, qu'accompagne un récit lucide et attachant, c'est toute l'intensité, l'authenticité de son vécu que nous livre l'auteur.
C'est aussi un livre de questions, qui participe d'un réel combat contre l'injustice.

Des baies de café biologique
sur la ferme d'Asdrubal Rodriguez
à El Dos de Tilaran au Costa Rica.

Cet ouvrage a été imprimé sur les presses
de l'imprimerie Darantiere à Quetigny (21).

Conception graphique : Stéphanie Lefebvre,
Éric Bouchard, Michèle Fillias

Photogravure : Denis Martin

Correcteurs-réviseurs : Emerson Xavier, Joëlle Labruyère

Traduction (avant-propos) : Emerson Xavier

Suivi de fabrication : Impressions (Messigny-et-Vantoux, 21)

Dépot légal 2e trimestre 2003
N° d'impression 23-0525
ISBN 2-914293-01-1

IMPRESSIONS QUÉBEC
9115-3775 Québec Inc, 1822, rue Rachel Est
Montréal, QC, H2H 1P4
Tél. : 514-844-8024. Fax 514-844-7790.
Courriel : auquebec@qc.aira.com/

NAZCA ÉDITIONS,
2, rue du Val Suzon,
21380 Messigny-et-Vantoux
Tél. : 33 (0) 3.80.44.91.00.
Fax : 33 (0) 3.80.44.91.01.

Imprimé en France / Printed in France